EDITION
HERDER

Mark Twain

DIE TAGEBÜCHER VON ADAM UND EVA

Mit Bildern von Henri Rousseau

Herder Freiburg · Basel · Wien

Aus dem Englischen von Norbert Lechleitner

Band 15 der
Edition Herder
Zweite Auflage 1995
© Verlag Herder Freiburg im Breisgau 1994

Gedruckt auf umweltfeundlichem,
chlorfrei gebleichtem Papier

Reproduktionen: Scan-Studio Hofmann GmbH, Freiburg
Herstellung: Freiburger Graphische Betriebe 1995
ISBN 3-451-23458-0

INHALT

AUS ADAMS TAGEBUCH

♦

MONTAG Dieses neue Geschöpf mit dem langen Haar treibt sich hier herum, verfolgt mich und ist mir ständig im Wege. Ich liebe das nicht, bin an Gesellschaft nicht gewöhnt. Möchte lieber, daß es bei den anderen Tieren bliebe. Heute ist es bewölkt, der Wind bläst von Ost. Wir werden wohl Regen bekommen. Wir?

Wie komme ich zu diesem Wort? Jetzt entsinne ich mich – das neue Geschöpf hat es gebraucht.

DIENSTAG Erforschte die großen Wasserfälle – meiner Meinung nach sind sie die tollste Sache auf dem ganzen Gelände. Das neue Geschöpf hat ihnen den Namen Niagara-Fälle gegeben – warum, ist mir absolut unklar. Es behauptet einfach, daß sie eben wie die Niagara-Fälle aussehen. Ist das denn ein Grund? Das ist ein völlig schwachsinniger Einfall. Ich habe keine Veranlassung, irgend etwas von mir aus zu benennen. Dieses Geschöpf benennt einfach alles, was ihm vor die Augen kommt, bevor ich noch Einspruch erheben kann. Und immer gebraucht es dafür die gleiche Rechtfertigung: „Es sieht eben so aus." Da ist zum Beispiel die Dronte. Kaum, daß man sie erblickt, meint das Geschöpf: „Sieht wie eine Dronte aus." Kein Zweifel, der Name wird ihr von nun an bleiben. Aber ich will mich darüber nicht länger aufregen, es nützt ja sowieso nichts. Dronte! Es sieht einer Dronte nicht ähnlicher als ich.

MITTWOCH Baute mir ein Schutzdach gegen den Regen, konnte es jedoch nicht allein in Ruhe genießen. Das neue Geschöpf drängte sich darunter. Als ich es an die Luft befördern wollte, vergoß es Wasser aus den

Höhlen in seinem Gesicht, aus denen es sonst guckt, wischte die Tropfen mit dem Rücken seiner Pfote ab und gab einen klagenden Laut von sich, wie man ihn auch bei anderen Tieren hören kann, wenn sie Schmerzen empfinden. Wenn es doch bloß das Reden ließe. Unaufhörlich ist es am Reden. Natürlich will ich dem armen Geschöpf daraus keinen Vorwurf machen, so ist das nicht gemeint. Ich habe einfach bisher noch nie eine menschliche Stimme vernommen. Jeder neue und fremdartige Laut, der sich dem feierlichen Schweigen dieser verträumten Einsamkeiten auf-drängt, beleidigt mein Ohr wie ein falscher Ton. Und außerdem ist dieser neue Klang immer ganz dicht ne-ben mir bald am rechten, bald am linken Ohr. Ich bin nur mehr oder weniger entfernte Laute gewohnt.

FREITAG Das Benennen von allem und jedem geht rücksichtslos weiter, ganz gleich, was ich dagegen unternehme. Für das Gelände hier hatte ich einen wunderbaren Namen, der hübsch und angenehm klang – Garten Eden. Wenn ich alleine bin, nenne ich es immer noch so, aber nicht, wenn das neue Ge-schöpf es hören könnte. Das Gelände bestünde doch nur aus Wäldern, Felsen und Landschaft, und deshalb habe es keinerlei Ähnlichkeit mit einem Garten, be-hauptet das neue Geschöpf. Vielmehr sehe es wie ein

Park aus – nicht anders, als wie ein Park. Und darum hat es dem Gelände, natürlich ohne mich zu fragen, den neuen Namen „Park der Niagara-Fälle" gegeben. Ich finde das anmaßend und rücksichtslos. Jetzt ist auch schon ein Schild aufgestellt worden:

BETRETEN DES RASENS VERBOTEN

Nein, mein Leben ist nicht mehr so glücklich, wie es einmal war.

SAMSTAG Das neue Geschöpf ißt andauernd Früchte. Wir werden wohl bald keine mehr haben. Schon wieder „wir"! – das ist auch ein Wort von ihm –, und ich habe es vom vielen Hören nun auch schon angenommen. Heute morgen ist es ziemlich neblig. Ich selbst gehe bei Nebel nicht aus. Aber das neue Geschöpf tut es. Bei jedem Wetter ist es draußen, um dann mit völlig verschmutzten Füßen wieder zurückzukommen. Und fängt gleich wieder an zu reden. Wie war es doch früher hier so angenehm still.

SONNTAG Gefaulenzt. Dieser Tag wird von Mal zu Mal anstrengender. Im letzten November wurde er ausgewählt und im Unterschied zu den anderen Tagen als der Tag der Ruhe und Erholung bestimmt. Aber damals hatte ich sechs solche Tage pro Woche. Heute

morgen ertappte ich das neue Geschöpf bei dem Versuch, mit Lehmklumpen Äpfel von dem verbotenen Baum herunterzuholen.

Montag Das neue Geschöpf behauptet, daß es Eva heiße. Na, von mir aus – ich habe nichts dagegen. Es verlangte, daß ich diesen Namen rufen sollte, wenn ich wollte, daß es käme. Dann sei der Name überflüssig, erwiderte ich. Diese Bemerkung hat mein Ansehen mächtig gehoben – war ja tatsächlich eine großartige Entgegnung, die ich jetzt öfter gebrauchen werde. – Auch behauptet das Geschöpf, daß es kein Es, sondern eine Sie wäre. Das wage ich einerseits zu bezweifeln und ist mir andererseits aber auch völlig gleichgültig, denn was sie ist, ginge mich schließlich nicht das geringste an, wenn sie nur endlich Ruhe geben wollte.

Dienstag Sie hat das ganze Gelände durch abscheuliche Wegweiser mit widerlichen Namen verunstaltet:

ZUR STROMSCHNELLE
ZUR ZIEGENINSEL
ZUR HÖHLE DER WINDE

Sie sagte, daß dieses Gelände doch ein hübscher Freizeitpark wäre, wenn nur Gäste kämen. Freizeitpark –

wieder eine ihrer Worterfindungen – Worte, nichts als bedeutungslose Worte. Was ist bloß ein Freizeitpark? Besser ist es, sie nicht zu fragen – sie ist so versessen aufs Erklären.

FREITAG Seit neuestem fleht sie immer öfter, ich solle mich von den Wasserfällen fernhalten. Was macht es schon, dort zu schwimmen und seine Zeit zu verbringen? Sie sagt, es schaudere sie. Ich frage mich, warum – hab's doch schon immer gemacht, ich finde es herrlich mit einem Kopfsprung in das kühle Wasser zu tauchen. Ich war der Meinung, dazu wären Wasserfälle da. Soweit ich feststellen kann, haben sie auch keinen anderen Nutzen, und aus irgendeinem Grund sind sie doch erschaffen worden. Sie behauptet, sie seien nur zur Belebung der Landschaft da, genauso wie das Rhinozeros und das Mastodon.

Da schwamm ich den Wasserfall in einem Faß hinunter – das beruhigte sie nicht; durchsegelte ihn in einem Zuber – noch immer nicht zufrieden; schwamm durch die Stromschnellen und Strudel, mit einem Feigenblattgürtelchen bekleidet, das stark beschädigt wurde: Ich empfing nur Vorwürfe wegen meines Übermutes. Ich werde hier einfach zu sehr eingeschränkt. Ich brauche dringend eine Ortsveränderung.

SAMSTAG Dienstag nacht riß ich aus, wanderte zwei Tage und errichtete mir an einer versteckten Stelle ein neues Schutzdach. Meine Spuren hatte ich so gut wie möglich verwischt. Trotzdem spürte sie mich mit Hilfe eines Tieres, das sie gezähmt hat und Wolf nennt, in meinem Versteck auf. Wieder ließ sie das mitleiderweckende Geräusch hören und vergoß Wasser aus den Stellen, mit denen sie sieht. Mir blieb nichts anderes übrig, als mit ihr zurückzukehren, werde aber ganz sicher bei der nächstbesten Gelegenheit wieder das Weite suchen.

Sie beschäftigt sich mit allerlei Unsinn, zum Beispiel mit der Frage, weshalb die Tiere, die sie Löwen und Tiger nennt, sich von Gras und Blumen ernähren, obwohl, so behauptet sie, die Beschaffenheit ihrer Zähne darauf schließen ließe, daß sie dazu bestimmt seien, einander aufzufressen.

Das ist natürlich Unfug, denn dazu müßten sie sich erst gegenseitig umbringen, und dies würde, soweit ich informiert bin, den Tod zur Folge haben. Mir ist aber gesagt worden, daß der Tod sich hier noch nicht niedergelassen hat – was in mancher Hinsicht bedauerlich ist.

SONNTAG Gefaulenzt.

MONTAG Ich glaube herausgefunden zu haben, wozu die Woche gut ist: Nämlich, um sich von den langweiligen Sonntagen zu erholen. Das scheint mir doch ein ganz guter Gedanke zu sein.

Sie ist wieder auf den bewußten Baum geklettert. Bewarf jetzt sie mit Lehmklümpchen bis sie endlich abstieg. Sie meinte, daß es doch niemand gesehen hätte. Das scheint ihr genug Rechtfertigung für jede gefährliche Unternehmung zu sein. Sagte es ihr. Das Wort Rechtfertigung nötigte ihr einige Bewunderung ab – und Neid. Ist ja auch ein treffliches Wort.

DIENSTAG Sie behauptet, aus einer meiner Rippen gemacht worden zu sein. Das bezweifle ich doch sehr. Ungeheure Behauptung! Schließlich fehlt mir keine meiner Rippen.

Sie macht sich große Sorgen um den Bussard. Gras wäre nichts für ihn; damit könne sie ihn nicht aufziehen; sie glaubt, daß es ihm entspräche, verwesendes Fleisch zu fressen. Soll er doch sehen, wie er mit dem auskommt, was da ist. Wir können doch nicht einem Bussard zuliebe die ganze Schöpfung umkrempeln.

SAMSTAG Gestern fiel sie in einen Teich, in dem sie sich betrachtete, was sie übrigens ständig tut. Beinahe wäre sie ertrunken und sagte, daß es äußerst unangenehm gewesen sei. Dies machte sie sehr um die Tiere besorgt, die im Wasser leben und die sie Fische nennt, denn sie kann es nicht lassen, alle Dinge zu benennen, die es gar nicht nötig haben und die auch nicht kommen, wenn man sie mit dem Namen ruft. Das ist doch reiner Blödsinn, stört sie aber nicht im geringsten. Jedenfalls hat sie einige Fische aus dem Wasser geholt und legte sie gestern abend in mein Bett, damit sie es warm hätten. Ich habe sie die ganze Nacht und den ganzen Tag beobachtet und habe nicht feststellen können, daß sie glücklicher wären als vorher – nur ruhiger. In der Nacht werde ich sie raus-

werfen. Habe keine Lust, noch einmal mit ihnen in einem Bett zu liegen, so klamm und eklig wie die sich anfühlen, wenn man selbst nichts anhat.

Sonntag Gefaulenzt.

Dienstag Sie hat sich mit einer Schlange eingelassen. Darüber freuen sich die anderen Tiere, die jetzt nicht mehr ständig mit Untersuchungen und Experimenten belästigt werden. Mich freut's auch, denn die Schlange kann sprechen, und ich werde ein wenig Ruhe haben.

Freitag Sie sagt, die Schlange hätte ihr empfohlen, doch einmal die Früchte jenes Baumes zu kosten, das hätte eine große, bedeutende und edle Erkenntnis zur Folge. Ich erwiderte, daß noch etwas anderes dabei herauskäme, denn es würde den Tod in die Welt bringen. Das zu sagen, war ein Fehler von mir, ich hätte es für mich behalten sollen, denn die Bemerkung brachte sie erst auf die Idee, wie sie dem kranken Bussard und den verzweifelten Löwen und Tigern frisches Fleisch beschaffen könnte. Ich riet ihr dringend, den Baum zu meiden. Sie sagte, das würde sie nicht tun. Ich befürchte Schlimmes. Werde auswandern.

MITTWOCH Habe abenteuerliche Tage hinter mir. Freitag nacht machte ich mich heimlich davon und ritt im gestreckten Galopp, hoffend, den Garten hinter mir lassen zu können und in einem anderen Gebiet ein Versteck zu finden, bevor das Unheil hereinbräche. Aber es war schon zu spät.

Etwa eine Stunde nach Sonnenaufgang ritt ich durch eine blühende Ebene, auf der Tausende von Tieren wie gewohnt grasten, schliefen oder miteinander spielten. Plötzlich brachen sie in entsetzliches Gebrüll aus, und in Sekunden war die ganze Ebene in rasender Aufruhr, die Tiere griffen sich an und zerfleischten sich gegenseitig.

Ich wußte, was das bedeutete: Eva hatte die Frucht gegessen, und der Tod war in die Welt gekommen.

Tiger rissen mein Pferd und fraßen es auf. Es kümmerte sie gar nicht, daß ich ihnen Einhalt gebot, sie hätten auch mich gefressen, wenn ich nicht eiligst geflohen wäre. – Dann entdeckte ich diesen Ort außerhalb des Gartens und fühlte mich einige Tage recht glücklich – aber sie fand mich. Ja, sie hat mich wieder aufgespürt an dem Platz, den sie jetzt Tonawanda nennt, weil er eben so aussehe, sagte sie. Eigentlich war es mir nicht unrecht, daß sie kam, denn in der Gegend war kaum etwas Eßbares zu finden, und sie brachte einige von jenen Äpfeln mit. Ich konnte nicht

anders, ich mußte sie essen, war einfach zu hungrig. Das war zwar gänzlich gegen meine Grundsätze, aber rasch kam ich zu der Überzeugung, daß Grundsätze nur gültig sind, solange man satt ist.

Sie erschien mit Zweigen und Blättern behängt, und als ich sie fragte, was dieser Unsinn zu bedeuten habe, und ihr das Zeug abriß und wegwarf, kicherte sie und wurde rot. Nie zuvor habe ich jemand kichern und erröten sehen, das schien mir einfach unangemessen und albern. Doch sie meinte, daß ich es noch früh genug begreifen würde. Sie hatte recht. Hungrig wie ich war, legte ich den angebissenen Apfel fort, zweifelsohne den besten Apfel, den ich je gekostet habe, zumal wenn man die späte Jahreszeit bedenkt, und behing mich mit den weggeworfenen Zweigen und Blättern. Ich befahl ihr ziemlich barsch, mehr von dem Grünzeug zu holen und sich gefälligst nicht derart zu zeigen. Sie tat's. Dann schlichen wir zu der Stelle zurück, wo der Kampf der wilden Tiere stattgefunden hatte, und sammelten einige Felle ein, aus denen ich sie Kleider für uns zusammenheften ließ, die man bei öffentlichen Anlässen tragen kann. Zugegeben, sie sind unbequem – aber stilvoll, und das ist schließlich die Hauptsache bei Kleidern.

Ich finde, sie ist eine ganz angenehme Gefährtin. Nachdem ich all meinen Besitz verloren habe, wäre

ich jetzt ohne sie bestimmt sehr einsam und depri-
miert. Übrigens: Sie behauptet, uns sei befohlen worden, von jetzt an für unseren Lebensunterhalt zu arbeiten. Da kann sie sich nützlich machen. Und ich
werde sie beaufsichtigen.

ZEHN TAGE SPÄTER Sie wirft mir doch tatsächlich vor, an
unserem Unglück schuld zu sein. Scheinbar aufrich-
tig und vollkommen überzeugt, erklärte sie, die
Schlange hätte ihr versichert, die verbotenen Früchte
seien keine Äpfel, sondern Pflaumen. Dann sei ich ja
schuldlos, erwiderte ich, denn ich hätte schließlich
keine Pflaumen gegessen. „Pflaumen" sei aber nur
bildhaft zu verstehen, hätte die Schlange sie informiert, und das sei doch nun wirklich ein uralter, ab-
gestandener Witz. Ich wurde bleich – denn ich hatte
mir manchen Spaß erlaubt und mir lustige Sachen
ausgedacht, um mir die Langeweile zu vertreiben,
und natürlich können auch einige Scherze dieser Art
dabei gewesen sein, wenn ich auch ganz ehrlich der
Meinung war, daß sie neu wären, als sie mir einfie-
len. Sie wollte wissen, ob ich mir gerade zur Zeit des
Unglücks einen Spaß erlaubt hätte. Ja, aber nur im
Stillen, nur so in Gedanken, nicht laut, mußte ich ge-
stehen. Das war folgende Geschichte:
    Ich dachte an den Wasserfall und sagte mir: ‚Welch

ein herrlicher Anblick, diese gewaltigen Wassermassen herabstürzen zu sehen!' Doch im nächsten Augenblick zuckte mir ein Gedankenblitz durch den Kopf, und ich sagte mir: ‚Aber es wäre noch viel fantastischer zu sehen, wenn sie aufwärts stürzten!' – und eben wollte ich mich über den verrückten Gedanken schieflachen, als die Katastrophe hereinbrach und ich um mein Leben rannte.

„Da haben wir's", triumphierte sie. „Genau diesen Witz erwähnte die Schlange und nannte ihn ‚die erste Pflaume', und die sei schon so alt wie die Schöpfung." Ach, nun liegt die Schuld also bei mir. Wäre ich doch nur nicht so geistreich! Hätte ich doch nur nie diese glänzende Idee gehabt!

IM JAHR DARAUF Wir haben es Kain genannt. Sie fing es in einem Wald nur ein paar Meilen – vielleicht vier, sie ist sich nicht so sicher – von unserer Behausung entfernt, während ich am Nordufer des Sees auf der Jagd war. Irgendwie hat es mit uns eine gewisse Ähnlichkeit; vielleicht ist es sogar mit uns verwandt, meinte sie. Aber da liegt sie meines Erachtens völlig falsch. Schon der Größenunterschied läßt darauf schließen, daß es sich um eine andere, möglicherweise neue Tierart handelt – vielleicht um einen Fisch. Um das zu prüfen, warf ich es ins Wasser, es sank so-

fort, sie stürzte hinterher und holte es heraus, bevor mein Experiment zu einem klaren Beweis geführt hatte. Ich glaube noch immer, daß es ein Fisch ist. Die Frage interessiert sie gar nicht, verbietet mir aber weitere Experimente. Ich versteh's nicht.

Seitdem dieses Geschöpf bei uns ist, scheint sie völlig verändert; sie will unvernünftigerweise gar nicht herausfinden, um welche Tierart es sich handelt, sie schenkt ihm aber viel mehr Beachtung als irgendeinem anderen Tier, kann mir aber nicht erklären, warum sie's tut. Alle Anzeichen deuten darauf hin, daß ihr Verstand verwirrt ist. Manchmal trägt sie den Fisch die halbe Nacht auf ihren Armen umher, wenn er Klagelaute von sich gibt, weil er ins Wasser möchte. Dabei rinnt dann Wasser aus den Stellen ihres Gesichts, mit denen sie sieht, klopft dem Fisch den Rücken, macht mit dem Mund Geräusche, die ihn beruhigen sollen und zeigt Kummer und Besorgnis auf hundertfache Art. Ich habe nie gesehen, daß sie sich jemals so bei einem anderen Fisch aufgeführt hätte, und das beunruhigt mich doch sehr. Früher, bevor wir unseren Besitz verloren, pflegte sie zwar junge Tiger mit sich herumzuschleppen und mit ihnen zu spielen, aber es war eben nur ein Spiel. Nie hat sie ihretwegen ein solches Theater veranstaltet, wenn ihnen ihr Futter nicht behagte.

SONNTAG Sie arbeitet sonntags nicht, sondern liegt völlig erschöpft da und mag es, wenn der Fisch auf ihr herumkriecht. Sie macht alberne Geräusche, um ihn zu belustigen und tut so, als wolle sie in seine Pfoten beißen, und darüber muß er dann lachen. Einen Fisch, der lachen kann, habe ich nie zuvor gesehen, und das macht mich nun doch unsicher.

Mir gefällt der Sonntag immer besser. Die ganze Woche lang Aufsicht zu führen, ist doch sehr anstrengend. Es sollte mehr Sonntage geben. Früher waren sie nur langweilig, jetzt werden sie angenehmer.

MITTWOCH Das ist kein Fisch. Ich bin mir noch nicht sicher, was es ist. Wenn es nicht zufrieden ist, gibt es eigenartige, teuflische Laute von sich. Geht's ihm gut, macht's „ga-ga-ga". Aber es ist auch nicht von unserer Art, weil es nicht laufen kann, ist auch kein Vogel, denn es fliegt nicht, kein Frosch, denn es hüpft nicht, keine Schlange, denn es kriecht nicht. Und ich bin überzeugt, daß es auch kein Fisch ist, wenngleich ich keine Möglichkeit hatte, festzustellen, ob es schwimmen kann oder nicht. Es liegt nur herum, meistens auf dem Rücken, die Füße nach oben. Das habe ich noch bei keinem anderen Tier beobachtet. Ich sagte ihr, daß es wohl ein Rätsel sei. Aber sie bewunderte nur das Wort, ohne seinen Sinn zu verstehen. Meiner

Meinung nach, ist es entweder ein Rätsel oder eine
Art Käfer. Wenn es sterben sollte, werde ich es beisei-
te nehmen und seine Beschaffenheit genau untersuchen. Noch nie hat mich eine Sache so sehr verwirrt.

DREI MONATE DANACH Meine Fassungslosigkeit steigert
sich ständig, statt sich zu verringern. Ich finde kaum
noch Schlaf. Jetzt liegt es nicht mehr bloß auf dem
Rücken, sondern kriecht auf allen Vieren herum. Aber
es unterscheidet sich von allen anderen vierbeinigen
Tieren dadurch, daß seine Vorderbeine ungewöhnlich
kurz sind. Deshalb streckt es den größten Teil seines
Körpers unbequem hoch in die Luft, was nicht besonders hübsch aussieht. Es ist so ähnlich gebaut wie
wir, doch seine Methode sich fortzubewegen zeigt,
daß es nicht zu unserer Art gehört. Die kurzen Vor-
derpfoten und die langen Hinterbeine lassen ver-
muten, daß es zur Familie der Känguruhs gehört,
aber eine besondere Abart dieser Spezies sein muß,
denn das echte Känguruh hüpft, was dieses Exemplar
nicht tut. Immerhin ist es eine spezielle und hoch-
interessante Abart, die bisher noch unbekannt war.
Da mir der Ruhm der Entdeckung gebührt, habe ich
auch das Recht, sie mit meinem Namen zu verbinden,
und so habe ich sie *Kangororum Adamiensis* genannt.
– Es muß noch sehr jung gewesen sein, als es zu uns

kam, denn es ist seither beträchtlich gewachsen. Es dürfte jetzt etwa das fünffache seiner anfänglichen Größe erreicht haben, und wenn es unzufrieden ist, kann es jetzt zwanzig bis achtunddreißig Mal soviel Lärm machen wie anfangs. Erzieherische Maßnahmen haben daran nichts geändert, allenfalls eine gegenteilige Wirkung erzielt. Darum habe ich meine diesbezüglichen Bemühungen eingestellt. Sie beruhigt es durch Überredung, und indem sie ihm Dinge gibt, von denen sie mir kurz zuvor noch sagte, daß man sie ihm nicht geben dürfte. Wie schon bemerkt, war ich nicht zu Hause, als es zu uns kam; sie behauptet, daß sie es im Wald gefunden hätte. Höchst seltsam erscheint mir, daß es nur ein einziges Exemplar geben soll, denn schon seit Wochen habe ich mich bemüht, ein zweites zu fangen, um meine Sammlung zu erweitern und als Spielgefährten für das erste; sicherlich wäre es dann ruhiger und leichter zu zähmen. Aber ich finde kein zweites, und seltsamerweise auch keinerlei Spuren. Es lebt doch auf dem Erdboden, es kann doch gar nicht anders, aber wie ist es dann möglich, daß es keine Spuren hinterläßt? Ich habe mindestens ein Dutzend Fallen aufgestellt, aber ohne Erfolg. Mir ist es immer gelungen, alle möglichen Kleintiere zu fangen, nur dieses eine nicht. Vermutlich gehen sie mir alle in die Falle, weil

sie wissen wollen, was die Milch darin soll; aber sie trinken sie nie.

DREI MONATE SPÄTER Das Känguruh wächst immer noch. Finde das höchst seltsam und verwirrend. Ich habe noch nie eines gesehen, das so lange braucht, bis es seine normale Größe erreicht hat. Jetzt hat es Fell auf dem Kopf, aber Känguruhfell ist es nicht, vielmehr ähnelt es unserem Haar, nur ist es viel feiner und weicher, und schwarz ist es auch nicht, sondern rot. Die beunruhigenden und unvorhersehbaren Entwicklungsstufen dieser zoologischen Absonderheit bringen mich noch um den Verstand. Wenn ich doch nur ein zweites fangen könnte – aber das ist hoffnungslos. Offenbar handelt es sich hier um das einzige Exemplar einer neuen Gattung. Ein echtes Känguruh konnte ich erjagen und brachte es mit, denn ich dachte, unseres fühlt sich vielleicht einsam und würde die Gesellschaft dieses Känguruhs sicher dem Alleinsein ganz ohne Verwandte vorziehen. Vielleicht würde es die Nähe irgendeines anderen Tieres in seiner bedauernswerten Verlorenheit unter uns Fremden, die wir mit seinen Lebensgewohnheiten nicht vertraut sind, als tröstlich empfinden oder wenigstens das Gefühl vermittelt bekommen, unter Freunden zu sein. Aber welch ein Irrtum! Beim Anblick des Kängu-

ruhs geriet es dermaßen in Panik, daß mir klar wurde, es konnte nie zuvor eines gesehen haben. Das arme kleine, schreiende Wesen tut mir ja leid, aber mir fällt nichts mehr ein, womit ich es zufriedenstellen kann. Wenn ich es nur zähmen könnte – aber das steht völlig außer Frage, denn je öfter ich es versuchte, desto störrischer scheint es zu werden. Es macht mir das Herz schwer, seine kleinen Ausbrüche von Qual und Leidenschaft mitansehen zu müssen.

Ich war ja bereit, es in die Freiheit zu entlassen, aber davon wollte sie nun wieder nichts hören. Ich finde das grausam, und es entspricht gar nicht ihrer Art. Aber vielleicht hat sie doch recht, denn es könnte ja sein, daß es ohne uns noch einsamer ist als bisher. Denn wenn ich schon kein zweites finden kann, wie sollte es ihm möglich sein.

FÜNF MONATE SPÄTER Es ist kein Känguruh. Eindeutig. Es hält sich an ihrem Finger fest, tapst ein paar Schritte auf seinen Hinterbeinen und plumpst dann hin. Vermutlich gehört es zu einer neuen Bärenart. Bis jetzt hat es jedoch noch keinen Schwanz und kein Fell, außer auf dem Kopf. Seltsamerweise wächst es noch immer – Bären sind sonst viel eher ausgewachsen. Seit der Katastrophe sind Bären gefährlich, und ich werde nicht dulden, daß unser Bär hier noch länger ohne Maulkorb herumtapst. Ich habe ihr angeboten, ein Känguruh für sie zu fangen, wenn sie diesen Bären laufen ließe. Aber sie lehnte ab. Sie scheint entschlossen, uns allen möglichen unsinnigen Gefahren aussetzen zu wollen. Seit sie den Verstand verlor, hat sie sich sehr verändert.

ZWEI WOCHEN SPÄTER Habe mir sein Maul genau angesehen. Vorläufig besteht keine Gefahr, es hat erst einen Zahn. Ein Schwanz ist ihm auch noch nicht gewachsen. Dafür macht es jetzt mehr Geschrei als zuvor, hauptsächlich nachts. Habe mich ausquartiert. Jeden Morgen werde ich noch vor dem Frühstück hinübergehen und nachsehen, ob es mehr Zähne bekommen hat. Wenn es das Maul voller Zähne hat, wird es höchste Zeit, daß es von hier verschwindet, ganz gleich, ob es nun einen Schwanz hat oder nicht, denn ein Bär braucht keinen Schwanz, um gefährlich zu sein.

VIER MONATE SPÄTER War einen Monat in einer Gegend auf der Jagd und zum Fischfang, die sie Buffalo nennt – warum, weiß ich auch nicht, vielleicht weil es dort nicht einen einzigen Büffel gibt. Mittlerweile hat der Bär gelernt, ganz allein auf seinen Hinterbeinen herumzutapsen und „Papa" und „Mama" zu sagen. Seine

Laute mögen eine zufällige Ähnlichkeit mit dem Klang menschlicher Worte haben und völlig ohne Sinn und Bedeutung sein, aber sogar wenn das zutrifft, ist es doch etwas sehr Ungewöhnliches, das kein anderer Bär vermag. Diese Sprachnachahmung, außerdem das Fehlen eines Felles und sogar eines Schwanzes, sind doch eindeutige Beweise dafür, daß es sich um eine neue Bärenart handelt. Die weitere Beobachtung wird sicher sehr aufschlußreich sein. Inzwischen werde ich auf einer längeren Expedition in die Wälder des Nordens intensiv nach einem zweiten Exemplar suchen – denn irgendwo muß ja eines zu finden sein, und das unsere wird weniger gefährlich sein, wenn es gleichartige Gesellschaft hat. Ich breche sofort auf, werde ihm vorher aber noch den Maulkorb anlegen.

DREI MONATE SPÄTER Die Jagd war beschwerlich, ermüdend und erfolglos. Aber sie hat unterdessen – ohne unseren Besitz zu verlassen – ein zweites Exemplar gefangen. So ein Glück hatte ich nie! Hundert Jahre hätte ich die Wälder durchstreifen können, mir wäre es nicht einfach über den Weg gelaufen.

AM NÄCHSTEN TAG Ich habe das neue Exemplar mit dem alten verglichen, und es ist völlig klar, daß beide

von gleicher Herkunft sind. Ein Exemplar wollte ich für meine Sammlung ausstopfen, aber sie hat aus mir unbekannten Gründen ein Vorurteil dagegen. Habe nachgegeben und verzichte, obgleich das sicherlich ein Fehler ist. Es wäre ein unersetzlicher Verlust für die Wissenschaft, wenn wir beide verlieren würden. Das alte ist jetzt zahmer geworden und kann lachen und sprechen wie ein Papagei. Zweifellos hat es das von dem Papagei gelernt, mit dem es viel zusammen ist, und weil es ein hochentwickeltes Nachahmungsvermögen besitzt. Sollte mich nicht wundern, wenn es sich als eine neue Abart des Papageis entpuppt. Mich würde überhaupt nichts mehr wundern, denn seit damals, als ich es noch für einen Fisch hielt, war es schon alles, was ich mir nur vorstellen konnte. Das neue ist genauso häßlich, wie es das alte anfangs war. Es hat die gleiche käsig-gelbe, fleischrote Hautfarbe und die gleiche, eigenartige Form des Kopfes, auf dem ebenfalls kein Fell ist. – Sie nennt es Abel.

ZEHN JAHRE SPÄTER Es sind Jungen. Das haben wir schon vor einiger Zeit herausgefunden. Uns hatte wohl nur der Umstand irregeführt, daß sie so winzig und unfertig waren, als sie zu uns kamen – wir waren das ja nicht gewohnt. Jetzt sind auch einige Mädchen da. Abel ist ein lieber Junge, aber Kain entspräche es

mehr, wenn er ein Bär geblieben wäre. Nach all diesen Jahren ist mir auch klar geworden, wie sehr ich
mich von Anfang an in Eva getäuscht hatte: Mit ihr
zusammen außerhalb des Gartens zu leben, ist besser, als ohne sie drinnen. Zuerst habe ich immer ge-
dacht, daß sie zuviel redete. Jetzt aber sorgt mich der
Gedanke, daß diese Stimme einmal verstummen und
nicht mehr Teil meines Lebens sein könnte. Gesegnet
sei der alte Witz, der uns zusammenführte und daß
ich die Güte ihres Herzens und die Zärtlichkeit ihrer
Seele kennenlernte.

EVAS TAGEBUCH

Auszüge und Übersetzung aus dem Original

♦

SAMSTAG Ich bin jetzt schon fast einen ganzen Tag alt.
Bin gestern angekommen – glaube ich wenigstens.
Und es muß auch so sein, denn wenn es vorgestern
schon einen Tag gegeben haben sollte, so habe ich
ihn nicht erlebt, denn sonst würde ich mich ja erin-
nern. Es kann natürlich sein, daß es doch einen Tag

gab und daß ich ihn nur nicht bemerkt habe. Also gut. Ich werde von jetzt an sehr gut aufpassen, und wenn es irgendeinen Tag-vor-gestern geben sollte, will ich es gleich notieren. Am besten fange ich von vorne herein richtig an, damit meine Aufzeichnungen nicht durcheinander geraten. Irgendein Gefühl sagt mir, daß diese Einzelheiten eines Tages für den Historiker von Bedeutung sein werden. Ich habe sehr stark das Empfinden, ein Experiment zu sein, ich spüre, daß ich ein Versuch bin – wohl niemand könnte das deutlicher empfinden als ich –, und so reift in mir immer mehr die Überzeugung, daß ich bin, was ich bin – ein Experiment und nichts anderes.

Wenn ich aber nun ein Experiment bin, bin ich dann schon das gesamte Projekt? Höchstwahrscheinlich nicht, da wird es wohl noch einen Rest geben, der auch dazugehört. Ich bin das wesentliche des Experiments, obgleich der Rest sicherlich auch seinen Anteil haben wird. Ob meine Stellung wohl gesichert ist – oder werde ich aufpassen und sie verteidigen müssen? Wohl eher letzteres. Eine Ahnung sagt mir, daß man seine Überlegenheit mit ständiger Wachsamkeit erkaufen muß. (Das scheint mir in Anbetracht meines Alters ein ganz ausgezeichneter Satz zu sein.) Heute sieht alles schon viel besser aus als gestern. In der Hast gestern noch fertig zu werden, wurden die Gebirge völlig zerklüftet stehengelassen, und die Ebenen waren mit Schutt und Abfall derartig übersät, daß sie einen wahrhaft traurigen Anblick boten. Große und erhabene Kunstwerke sollten nicht in solcher Hektik geschaffen werden. Und diese grandiose neue Welt ist wirklich ein erhabenes und herrliches Kunstwerk – vor allem wenn man die Kürze des Schaffensprozesses bedenkt. An einigen Stellen sind die Sterne noch zu dicht gedrängt und an anderen sind es nicht genug, aber ich habe keinen Zweifel, daß das rasch behoben sein wird. Letzte Nacht löste sich der Mond, rutschte herunter und fiel aus der Welt heraus – ein wirklich großer Verlust. Ich darf gar nicht daran denken, es bricht mir das Herz. Von allen Schmuck- und Zierstücken der Welt gibt es keines, das sich mit seiner Schönheit und Vollendung vergleichen ließe. Er hätte wirklich besser befestigt werden müssen. Ach, wenn wir ihn doch zurückbekommen könnten!

Aber wer weiß, wo er geblieben ist? Falls ihn jemand gefunden hat, wird er ihn verstecken, da bin ich ganz sicher, weil ich es selbst so machen würde. Ich glaube, daß ich sonst in jeder Beziehung ehrlich sein könnte, aber ich fange an zu begreifen, daß mein Innerstes, der Kern meines Wesens von der Liebe zum Schönen, ja von einer Leidenschaft für das Schöne, bestimmt wird, und daß es nicht ratsam wäre, mir einen Mond anzuvertrauen, der einem anderen gehört, und der Besitzer nicht weiß, daß ich seinen Mond habe. Ich würde den Mond ja eventuell noch zurückgeben, wenn ich bei Tageslicht einen finden sollte, weil ich nämlich Angst hätte, beobachtet worden zu sein; wenn ich ihn jedoch bei Dunkelheit fände, so fiele mir bestimmt eine überzeugende Ausrede ein, um meinen Fund zu verschweigen. Ach, ich schwärme für Monde, sie sind so hübsch und romantisch. Ich wollte, wir hätten fünf oder sechs davon, dann würde ich nie mehr schlafen und würde nicht müde werden, zu ihm auf meinem Moosbett liegend, aufzuschauen.

Sterne sind auch ganz hübsch. Ich wollte, ich hätte ein paar davon, die würde ich mir ins Haar stecken. Aber vermutlich werde ich nie welche geschenkt bekommen. Höchstwahrscheinlich wäre man überrascht festzustellen, wie weit weg sie wirklich sind, obwohl sie gar nicht so aussehen. Als sie gestern nacht zum ersten Male erschienen, habe ich versucht, einige mit einem langen Stock herunterzuholen, aber ich konnte sie zu meinem Erstaunen nicht erreichen. Dann versuchte ich es mit Lehmklumpen, bis ich ziemlich erschöpft war, aber ich traf keinen einzigen. Das liegt ganz sicher daran, daß ich Linkshänderin bin und nicht sehr gut werfen kann. Selbst wenn ich auf einen ganz bestimmten Stern zielte, den ich gar

ich erkannte sie gleich an den Streifen. Eines von diesen Fellen würde schon ein entzückendes Kleid abge-
ben.

Heute kann ich Entfernungen schon besser ein-
schätzen. Ich war auf alle die hübschen Dinge so be-
gierig, daß ich einfach zugriff, mitunter, wenn sie zu
weit weg waren, manchmal aber auch wenn sie nur
wenige Zentimeter von mir entfernt waren, jedoch
hinter Dornen. Der Schaden machte mich klug. Und
ganz aus eigener Überlegung formulierte ich meinen
ersten Lehrsatz: *Das gestochene Experiment meidet
den Dorn.* Ich finde, das ist eine beachtliche Leistung
für jemanden, der noch so jung ist wie ich.

Gestern nachmittag verfolgte ich in angemessener
Entfernung das andere Experiment, um herauszufinden, wozu es da ist. Leider konnte ich nichts feststellen, glaube aber, es handelt sich um einen Mann.
Zwar habe ich noch nie einen Mann gesehen, aber es
sah so aus, und ich bin mir in diesem Punkt völlig sicher. Ich muß zugeben, daß es mich neugieriger
macht als alle anderen Reptilien – falls es ein Reptil
ist, was ich allerdings stark vermute, denn es hat
struppiges Haar und blaue Augen und sieht ganz wie
ein Reptil aus. Hüften hat es keine und läuft spitz zu
wie eine Karotte. Wenn es sich aufrichtet, spreizt es
sich wie ein Ladebaum. Ich schließe daraus, daß es

wohl ein Reptil ist, vielleicht auch eine besondere Konstruktion.

Anfangs fürchtete ich mich vor ihm und war immer bereit wegzulaufen, sooft es sich umdrehte, denn ich glaubte, es wollte mich jagen. Allmählich wurde mir aber klar, daß es nur versuchte, mir zu entkommen. Da hatte ich nun keine Angst mehr, sondern blieb ihm mit einem gewissen Abstand stundenlang auf den Fersen. Es wurde ganz nervös und übellaunig. Schließlich war es ziemlich wütend und kletterte auf einen Baum. Ich wartete noch eine Weile, gab dann auf und ging nach Hause.

Heute genau die gleiche Geschichte. Hab es wieder auf die Palme gejagt.

SONNTAG Es sitzt immer noch da oben und ruht sich anscheinend aus. Aber das ist nur ein Vorwand. Denn der Sonntag ist schließlich kein Ruhetag, weil der Samstag dazu bestimmt wurde. Vermutlich ist dieses Geschöpf mehr am Faulenzen als an anderen Sachen interessiert. Ich würde vom vielen Ausruhen schon ganz erschöpft sein. Es macht mich sogar müde, hier herumzusitzen und den Baum im Auge zu behalten. Möchte wirklich wissen, wozu dies Geschöpf taugt, denn ich habe es noch nie etwas tun sehen.

Letzte Nacht haben sie den Mond wieder aufgehängt. Ich war ganz glücklich und finde das sehr anständig von den Findern. Er rutschte zwar wieder herunter und war plötzlich verschwunden, aber ich war nicht mehr traurig, denn wenn man so ehrliche Nachbarn hat, braucht man sich keine Sorgen zu machen. Sie werden ihn schon wieder zurückbringen. Ich würde mich ihnen gerne dankbar erweisen und ihnen ein paar Sterne schicken, denn wir haben ja mehr als wir brauchen, will sagen: Ich habe mehr als genug, denn daß das Reptil sich aus solchen Dingen nichts macht, habe ich eindeutig festgestellt.

Es hat einen abscheulichen Geschmack und ist gar nicht nett. Gestern abend, in der Dämmerung, kam ich grade hinzu, als es von seinem Baum gestiegen war und versuchte, die kleinen bunten Fische zu fangen, die in dem Teich spielen. Ich bewarf es mit Lehmklumpen, damit es die Fische in Ruhe ließ, und scheuchte es auf den Baum zurück. Ich möchte wirklich gerne wissen, ob etwa darin sein Lebenszweck besteht? Hat es denn gar kein Herz? Und kein Mitleid mit diesen kleinen Geschöpfen? Ist es denn möglich, daß es nur für derart liebloses Verhalten entwickelt und geschaffen worden war? Es macht ganz den Eindruck. Ein Lehmklumpen traf es hinters Ohr, da fing es zu sprechen an. Das versetzte mir einen gehörigen Schrecken, denn es war das erste Mal, daß ich jeman-

den außer mir selbst sprechen hörte. Ich verstand seine Worte nicht, aber sie klangen sehr ausdrucksvoll.

Seit ich weiß, daß es sprechen kann, bin ich wieder stärker interessiert, denn ich liebe es zu reden. Ich rede den ganzen Tag, sogar im Schlaf – ich denke schon, daß ich sehr anregend bin. Aber wenn ich jemanden hätte, mit dem ich sprechen könnte, dann wäre das Reden natürlich doppelt so interessant und würde, falls gewünscht, nicht mehr aufhören.

Wenn dieses Reptil ein Mann sein sollte, dann wäre es ja kein Es, das wäre grammatikalisch falsch. Es wäre vielmehr ein Er. Und folgerichtig lautet der Nominativ: Er, der Dativ: Ihm, das Possessivpronomen: Sein. Also gut, ich will es für einen Mann halten und „Er" zu ihm sagen, bis sich herausstellt, daß es etwas ganz anderes ist. Das ist jedenfalls angenehmer, als andauernde Ungewißheit.

AM SONNTAG DARAUF Blieb ihm die ganze Woche auf den Fersen und versuchte, seine Bekanntschaft zu machen. Es lag natürlich bei mir, ihn anzusprechen, denn er war viel zu schüchtern, was mich aber nicht störte. Meine Nähe schien ihm zu gefallen, und ich setzte das vertrauliche „wir" recht häufig ein, weil es ihm zu schmeicheln schien, dadurch miteinbezogen zu sein.

MITTWOCH Mittlerweile kommen wir schon sehr gut miteinander aus und lernen uns von Tag zu Tag besser kennen. Es ist ein gutes Zeichen, daß er nicht länger versucht, mir aus dem Weg zu gehen, womit bewiesen ist, daß er meine Gesellschaft schätzt. Das freut mich. Ich versuche mich so nützlich wie möglich zu machen, damit er mir mehr Aufmerksamkeit schenkt. In den letzten Tagen habe ich ihm die ganze Arbeit des Benennens abgenommen. Das war eine große Hilfe für ihn, und er ist mir sehr dankbar, denn ihm fehlt jegliche Begabung für diese Tätigkeit. Ihm fällt nie ein vernünftiger Name zur rechten Zeit ein, aber ich lasse mir nicht anmerken, daß mir seine Unfähigkeit aufgefallen ist.

Sobald uns ein neues Geschöpf über den Weg läuft, gebe ich ihm rasch einen Namen und bewahre ihn so davor, sich durch peinliches Schweigen bloßzustellen. So habe ich ihn schon vor mancher Verlegenheit geschützt, denn ich bin nicht so unbegabt wie er. Im gleichen Augenblick, in dem ich ein Tier sehe, weiß ich auch schon seinen Namen. Da brauche ich keine Sekunde nachzudenken, der richtige Name kommt mir sofort über die Lippen, wie eine Eingebung, was es zweifellos auch ist, denn ich bin sicher, daß ich eine halbe Minute zuvor den Namen noch nicht wußte. Es ist, als verriete mir schon die Gestalt und das Verhalten des Geschöpfes, um welches Tier es sich handelt.

Als uns die Dronte begegnete, sah ich es seinen Augen an, daß er sie für eine Wildkatze hielt. Aber ich bewahrte ihn vor seinem Irrtum und achtete sogar darauf, es auf eine Weise zu tun, die seinen Stolz nicht verletzen konnte. Ich sprach ganz natürlich, so als wenn ich höchst angenehm überrascht sei, und nicht, als dächte ich auch nur im entferntesten daran, ihn belehren zu wollen, und sagte: „Ach, soll mich doch wundern, wenn das nicht die Dronte ist!" Ohne jeglichen belehrenden Ton erklärte ich ihm, woran ich die Dronte erkannte, und obgleich er ein bißchen verärgert war, daß ich das Geschöpf kannte und er nicht, konnte er doch nicht verhehlen, daß er mich bewunderte. Das war sehr angenehm, und ich dachte noch beim Einschlafen voller Dankbarkeit daran. Selbst die kleinsten Dinge können uns glücklich stimmen, wenn wir das Gefühl haben, wir hätten sie auch verdient.

DONNERSTAG Mein erster Kummer. Gestern ging er mir aus dem Weg. Er schien auch nicht zu wollen, daß ich mit ihm spräche. Ich konnte es nicht recht glauben und meinte, daß ein Mißverständnis der Anlaß für sein Verhalten sei. Denn ich bin so gerne mit ihm zusammen, höre seine Stimme gerne, und es kann doch

nicht sein, daß er so unfreundlich zu mir ist, obwohl ich ihm doch nichts getan hatte. Aber es war so.

Ich ging fort. Alleine saß ich an jenem Ort, an dem ich ihn am Morgen unseres Schöpfungstages zuerst gesehen hatte. Damals wußte ich noch nicht, wer er war und darum war er mir gleichgültig. Aber jetzt war das ein trauriger Ort, die kleinsten Dinge erinnerten mich an ihn, und das Herz war mir schwer. Ich wußte nicht recht, was mit mir geschah: Ein völlig neues Gefühl, das ich nie zuvor erfahren hatte, bemächtigte sich meiner wie ein Geheimnis, das ich nicht ergründen konnte. Als jedoch die Nacht hereinbrach, ertrug ich die Einsamkeit nicht länger und ging zu dem neuen Schutzdach, das er sich gebaut hat. Ich wollte ihn fragen, was ich denn verbrochen hätte, wie ich es wieder gutmachten könnte, um seine Freundschaft zurückzugewinnen. Er aber wies mich ab und schickte mich raus in den Regen. Mein erster Kummer.

SONNTAG Jetzt ist wieder alles gut. Ich bin glücklich. Aber die letzten Tage waren schrecklich, und ich bemühe mich, sie zu vergessen.

Ich versuchte, für ihn einige von diesen Äpfeln herunterzuholen, aber richtiges Zielen werde ich wohl nie lernen. Ich traf keinen einzigen, hatte aber den Eindruck, daß ihn mein guter Wille erfreute. Die Äpfel sind verboten, und er sagte, daß ich Ärger kriegen würde. Aber was kümmert mich Ärger, wenn er dem Wunsche entspringt, ihm eine Freude zu machen.

MONTAG Heute morgen sagte ich ihm meinen Namen und hoffte, daß es ihn interessieren würde. Aber es schien ihm völlig egal zu sein. Höchst seltsam. Wenn er mir seinen Namen sagen würde, wäre es mir nicht gleichgültig. Ich stelle mir vor, er würde in meinen Ohren schöner klingen, als jeder andere Laut.

Er spricht sehr wenig. Vielleicht deshalb, weil er

nicht besonders intelligent ist, und es selbst auch so empfindet und seine Schwäche nur verbergen möchte. Ich find's schade, daß er so fühlt, denn Klugheit ist längst nicht alles – die wahren Werte liegen im Herzen. Ich wünschte, ihm begreiflich machen zu können, daß mir ein gutes, liebevolles Herz wahren Reichtum bedeutet, Verstand alleine dagegen Armseligkeit. Auch wenn er recht schweigsam ist, verfügt er doch über einen bemerkenswerten Wortschatz. Heute früh benutzte er einen überraschend treffenden Ausdruck. Anscheinend bemerkte er selbst, wie gut er war, denn er flocht ihn anschließend wie beiläufig gleich noch zweimal ein. Es wirkte zwar nicht ganz so lässig, wie er wollte, aber es zeigt doch, daß er ein gewisses Einfühlungsvermögen besitzt. Mit etwas Bemühen ließe es sich durchaus entwickeln.

Wo mag er das Wort nur herhaben? Ich kann mich nicht entsinnen, daß ich es einmal gebraucht habe.

Also, mein Name interessiert ihn nicht. Natürlich versuchte ich, meine Enttäuschung zu verbergen, vermute aber, daß es mir nicht recht gelungen ist. Ich wandte mich ab, setzte mich auf die Moosbank und ließ die Füße ins Wasser baumeln. Dort gehe ich immer hin, wenn ich mich nach Gesellschaft sehne, nach jemandem, den ich anschauen und mit dem ich sprechen kann. Der hübsche, helle Körper, der sich

im Wasser abzeichnet, genügt zwar nicht, aber das ist doch immerhin etwas, was besser ist als völlige Einsamkeit. Es spricht, wenn ich spreche, ist traurig, wenn ich traurig bin, und tröstet mich mit seiner Zuneigung und sagt: „Laß den Kopf nicht hängen, du armes, verlassenes Mädchen, ich will deine Freundin sein." Und es ist eine gute Freundin, die einzige, die ich habe, ja es ist mir eine Schwester.

Nie, niemals werde ich vergessen, als sie mich zum ersten Mal im Stich ließ. Das Herz blieb mir fast stehen. Ich klagte: „Sie war mein ein und alles – und nun hat sie mich verlassen!" Und in meiner Verzweiflung rief ich: „Zerbrich mein Herz, ich kann dieses Leben nicht mehr ertragen!" Und ich barg mein Gesicht in meinen Händen. Nichts konnte mich trösten. Doch als ich nach einer Weile die Hände sinken ließ, war sie wieder da, hell, schön und strahlend. Und ich warf mich ihr in die Arme.

Das war das vollkommene Glück. Auch zuvor bin ich schon glücklich gewesen, aber nie bin ich derart in Verzückung geraten. Ich zweifelte nie wieder an ihr. Manchmal blieb sie fort, für eine Stunde, oder sogar den ganzen Tag, doch ich wartete geduldig und sagte zu mir: „Sie hat zu tun, vielleicht ist sie verreist, aber sie wird kommen." Und so war es auch. Stets kam sie zu mir zurück. In dunklen Nächten kam sie nie, denn sie ist ein kleines furchtsames Wesen. Doch kam sie, wenn der Mond schien. Ich fürchte mich nicht vor der Dunkelheit, aber sie ist ja auch jünger als ich, weil sie nach mir geboren wurde. Viele, viele Male habe ich sie nun schon besucht. Sie ist mir Trost und Zuflucht, wenn mir das Leben schwer wird – und das wird's meistens.

DIENSTAG Den ganzen Morgen war ich damit beschäftigt, unser Anwesen zu verschönern. Von ihm hielt ich mich absichtlich fern in der Hoffnung, daß er sich einsam fühlen und zurückkommen würde. Aber er kam nicht.

Gegen Mittag beendete ich meine Arbeit für diesen Tag und erholte mich, indem ich mit den Bienen und Schmetterlingen herumschwärmte und mich an den Blumen erfreute, diesen wundervollen Geschöpfen, die das Lächeln Gottes auf die Erde Gottes gebracht haben und es bewahren. Ich pflückte sie, flocht sie zu Kränzen und Girlanden und schmückte mich mit ihnen. Währenddessen nahm ich eine kleine Mahlzeit zu mir – natürlich Äpfel. Danach ließ ich mich im Schatten nieder – hoffte und wartete. Aber er kam nicht.

Ist ja nicht tragisch. Es wäre doch nichts dabei herausgekommen, denn er macht sich ja nichts aus Blumen. Sie sind für ihn „alles Plunder", wenngleich er

keine von der anderen unterscheiden kann und solches Verhalten auch noch für ein Zeichen seiner Überlegenheit hält. Ich bin ihm gleichgültig, Blumen sind ihm gleichgültig, farbenprächtige Sonnenuntergänge sind ihm gleichgültig – es gibt nichts, was ihm nicht gleichgültig wäre, außer vielleicht der Bau von Schutzdächern, unter denen er sich vor dem herrlichen, klaren Regen verkriechen kann, dem Beklopfen von Melonen, dem Kosten der Weintrauben, dem Befingern der Früchte an den Bäumen, um zu prüfen, wie sein Besitz gedeiht.

Ich legte ein Stückchen trockenes Holz auf den Boden und wollte mit einem zweiten ein Loch hineinbohren, weil ich eine bestimmte Idee hatte, und bekam plötzlich einen gewaltigen Schrecken. Ein feines, bläulich-durchsichtiges Fädchen stieg aus der Höhlung empor. Ich warf alles hin und lief davon. Ein Geist! dachte ich voller Entsetzen. Doch als ich mich umschaute und sah, daß er mir nicht folgte, lehnte ich mich an einen Felsen und rang keuchend nach Atem, bis sich meine zitternden Glieder beruhigt hatten. Dann schlich ich vorsichtig zurück, voller Konzentration und in höchster Anspannung, bereit sofort zu fliehen. Als ich näher gekommen war, schob ich die Zweige eines großen Strauches zur Seite, spähte hindurch und wünschte mir gleichzeitig, daß der Mann

mich so sehen könnte, weil ich sicher sehr hübsch und listig aussah. Doch der Geist war verschwunden. Ich ging an meinen Platz und entdeckte ein wenig feinen, roten Staub in der Höhlung. Um ihn anzufühlen, steckte ich einen Finger hinein – schrie Autsch! – und zog ihn flugs zurück. War das ein schlimmer Schmerz! Ich steckte den Finger in meinen Mund, hüpfte jammernd von einem Fuß auf den anderen. Allmählich ließ der Schmerz nach, meine Neugier erwachte wieder, und ich begann, den Sachverhalt zu untersuchen.

Ich wollte unbedingt herausfinden, was das für ein roter Staub war. Und plötzlich wußte ich den Namen dafür, obwohl ich ihn nie zuvor gehört hatte: Das war Feuer! Ich war mir absolut sicher, so sicher wie man es nur sein kann. So gab ich ihm ohne zu zögern seinen Namen: Feuer. Ich hatte etwas erschaffen, das zuvor noch nicht dagewesen war. Ich hatte den zahllosen Schätzen der Welt einen neuen hinzugefügt, das war mir bewußt und darauf war ich stolz. Ich wollte gleich loslaufen, ihn suchen und ihm alles erzählen, denn es würde seine Meinung von mir sicherlich verbessern – aber dann dachte ich nach und ließ es sein. Nein, auch das würde ihn kalt lassen. Er würde mich fragen, wozu es nütze sei, und was sollte ich darauf antworten? Wenn es nun zu gar nichts zu gebrauchen wäre, nur schön sei, ausschließlich schön?

Ich seufzte und ging nicht zu ihm. Es war ja zu nichts zu gebrauchen: Es konnte keine Schutzdächer bauen, konnte die Melonen nicht verbessern, konnte die Reifung des Obstes nicht beschleunigen, es war unnütz, albern und nichtig. Er würde es lächerlich und verächtlich machen. Aber für mich war es nicht zu verachten. „O Feuer, ich liebe dich, du herrliche rote Kreatur, denn du bist schön, und das ist mir

Grund genug", so schwärmte ich und wollte es an meine Brust drücken, unterließ es aber. Denn mir kam ganz aus eigenem Vermögen ein zweiter Grundsatz in den Sinn, dem ersten Grundsatz, dem ersten Grundsatz allerdings so ähnlich, daß ich befürchtete, er wäre ein Plagiat: *„Gebranntes Experiment scheut das Feuer."*

Von neuem bohrte ich in der Höhlung und als sich genügend Feuerstaub angesammelt hatte, kippte ich ihn in eine Handvoll dürren, braunen Grases, denn ich wollte ihn mit nach Hause nehmen, um ihn zu behalten und damit zu spielen. Doch ein Wind blies hinein, das Feuer flammte auf und sprang mir wütend entgegen. Ich ließ es fallen und rannte weg. Als ich mich umschaute, reckte der blaue Geist sich hoch empor, streckte und wälzte sich wie eine Wolke, und ich wußte wieder sofort den Namen dafür: Das war Rauch, und, ganz ehrlich, nie zuvor hatte ich etwas von Rauch gehört.

Bald schoß ein helles, gelbes und rotes Flackern durch den Rauch empor, und ich nannte es im gleichen Augenblick: Flammen – daran konnte kein Zweifel sein, obgleich es die ersten Flammen waren, die es in der Welt gab. Sie kletterten an den Bäumen empor, funkelten prächtig inmitten der gewaltig wachsenden und sich ausdehnenden Rauchwolken.

Begeistert klatschte ich in die Hände, lachte und tanz-
te herum, so neu, einzigartig und herrlich war das alles. Dann kam er herbeigerannt, blieb stehen und
starrte minutenlang, ohne ein Wort zu sagen. Dann
fragte er, was das wäre. Ach wie dumm, mich so di-
rekt zu fragen. Ich mußte natürlich antworten und
sagte ihm also, daß es Feuer wäre. Wenn es ihn ärger-
te, daß ich es wußte und er mich fragen mußte, so war
das nicht meine Schuld. Ich wollte ihn ja wirklich
nicht ärgern. Nach einer Weile wollte er wissen:
„Woher kommt's?"

Schon wieder so eine direkte Frage. Ich gab ihm eine direkte Antwort: „Ich hab's gemacht."

Das Feuer wanderte weiter und weiter. Er trat an
den Rand der verbrannten Fläche, schaute zu Boden
und fragte: „Was ist das?"

„Holzkohle."

Er hob ein Stück auf, untersuchte es von allen Sei-
ten, besann sich jedoch, ließ es fallen und ging fort.
Nein, nichts, gar nichts interessiert ihn.

Aber es interessierte mich. Da lag Asche, grau,
weich, zart und fein – ich wußte sofort, was es war.
Und die Glut, auch die Glut erkannte ich. Ich fand
meine Äpfel, scharrte sie aus der Asche und war froh,
sie gefunden zu haben, denn ich bin noch sehr jung
und habe einen regen Appetit. Aber dann war ich

AUSZUG AUS ADAMS TAGEBUCH

♦

Vielleicht sollte ich bedenken, daß sie noch sehr jung ist, ein kleines Mädchen, und ihr einige Zugeständnisse machen. Sie ist voller Neugier, Eifer und Vitalität. Für sie ist die Welt ein Zauber, ein Wunder, ein Geheimnis, eine Freude. Vor Entzücken bringt sie kein Wort heraus, wenn sie eine neue Blume ent-

deckt. Sie muß sie streicheln und liebkosen, sie rie-
chen und mit ihr sprechen und mit zärtlichen Worten
überschütten.

Sie ist verrückt auf Farben: Felsen sind braun,
Sand ist gelb, Flechten sind grau, Blätter sind grün,
Himmel ist blau; der Perlenschimmer der Dämmerung, die Purpurschatten auf den Bergen, goldene
Inseln schwimmen bei Sonnenuntergang im schar-
lachroten Meer, der bleiche Mond segelt durch
zerfetzte Wolkenschleier, diamantengleich glitzern
Sterne in den Weiten des Weltraums – und soweit ich
das sehe, hat nichts von all diesen Dingen irgendeinen praktischen Wert. Aber ihr genügt es, daß sie
bunt und prächtig sind, um darüber bereits den
Verstand zu verlieren.

Wenn sie doch nur mal still sein und ab und zu für
ein paar Minuten schweigen würde, wäre das ein er-
holsames Ereignis. Und dann würde es mir, wohl
möglich, auch eine Freude sein, sie anzuschauen. Bin
mir eigentlich sogar sicher, denn allmählich wird mir
bewußt, daß sie ein bemerkenswert hübsches Geschöpf ist: geschmeidig, schlank, gepflegt, wohlge-
formt, flink, anmutig. Einmal sah ich sie, als sie von
Sonnenschein überflutet alabasterhell auf einem
Felsblock stehend mit zurückgelehntem Kopf, die
Augen mit ihrer Hand beschattend dem Flug eines

Vogels am Himmel nachschaute – da erkannte ich ihre Schönheit.

MONTAG MITTAG Falls es irgend etwas auf diesem Planeten geben sollte, an dem sie nicht interessiert wäre, so ist es mir jedenfalls noch nicht begegnet. Es gibt einige Tiere, die mir durchaus gleichgültig sind, aber so könnte sie niemals empfinden. Sie macht keine Unterschiede, nimmt sie alle so wie sie sind, jedes einzelne ist für sie etwas Besonderes, jedes neue ist ihr willkommen.

Als der gewaltige Brontosaurus in unser Lager getrampelt kam, betrachtete sie ihn wie eine günstige Anschaffung, ich hielt's eher für eine Katastrophe. Das ist ein anschauliches Beispiel für die fehlende Übereinstimmung unserer Ansichten.

Sie wollte ihn zähmen, ich dagegen wollte ihm lieber unsere Behausung schenken und schnellstens das Weite suchen. Sie glaubte, ihn durch freundliche Behandlung erziehen und in ein niedliches Schoßtier verwandeln zu können. Ich entgegnete, daß ich ein über sechs Meter großes und sechsundzwanzig Meter langes Schoßtier als nicht besonders niedlich ansähe, zumal wenn es, sogar ohne böse Absicht und ohne gar ärgerlich oder gar wütend zu sein, sich auf unser Haus setzen und es zerquetschen

könnte, schließlich sei sein irrer Blick nicht zu übersehen.

Aber trotzdem, sie hatte nun einmal ihr Herz daran gehängt, dieses Monster zu behalten und wollte nicht von ihm lassen. Sie machte den Vorschlag, daß wir mit ihm eine Molkerei eröffnen könnten und bat mich, ihr beim Melken zu helfen. Ich schlug das Angebot aus, das Risiko war mir zu hoch. Außerdem hatte es das falsche Geschlecht und wir keine Leiter. Dann wollte sie auf ihm reiten und von oben die Landschaft betrachten. Sein Schwanz lag wie ein gefällter neun oder zwölf Meter langer Baum auf dem Boden, und sie glaubte daran hochklettern zu können. Doch da irrte sie sich, denn der steile Anstieg war zu glitschig, sie rutschte ab und hätte sich verletzt, wenn ich nicht hinzugesprungen wäre.

Hatte sie nun ein Einsehen? Mitnichten. Nur Tatsachen können sie überzeugen. Von ungeprüften Theorien will sie nichts wissen. Ich gebe ja zu, daß das eine ganz vernünftige Einstellung ist, mit der ich mich anfreunden könnte, und natürlich beeinflußt sie mich auch. Wenn ich mit ihr mehr zusammen wäre, könnte sie mich sogar überzeugen.

Bezüglich dieses Monsters hatte sie noch eine andere Idee: Sie überlegte, daß wir das Monster, wenn es sich zähmen ließe, in den Fluß stellen und als

Brücke benutzen könnten. Es zeigte sich, daß sich das Monster, zumindest soweit es sie betraf, friedlich verhielt, und darum versuchte sie, ihren Plan auszuführen. Aber es mißlang: Jedes Mal, wenn sie das Monster so in den Fluß gelockt hatte und sie ans Ufer stieg, um ihn auf seinem Rücken überqueren zu können, folgte es ihr und umkreiste sie wie ein gebirgsgroßes Schoßtierchen. Wie es die anderen Tiere auch tun. So verhalten sie sich alle.

EVAS TAGEBUCH

Fortsetzung

♦

FREITAG Dienstag, Mittwoch, Donnerstag und heute –
nie läßt er sich blicken. Die Zeit wird lang, wenn man
alleine ist. Dennoch ist es besser, allein zu sein als
unerwünscht.

Ich kann nicht alleine leben, dafür bin ich nicht geschaffen. Darum freundete ich mich mit den Tieren

an. Sie sind so liebenswert, immer freundlich und höflich im Umgang, sind nicht mürrisch, geben mir nie das Gefühl, lästig zu sein, sie lächeln, wedeln mit dem Schwanz, falls sie einen haben und sind stets bereit, herumzutollen, einen Ausflug zu machen, oder was immer einem grade einfällt. Sie sind wirklich vollendete Kavaliere. All diese Tage waren ein reines Vergnügen. Ich bin nie einsam gewesen. Einsam? – Nein, ich glaube nicht. Wie denn auch – es war ja immer ein ganzer Schwarm um mich herum, manchmal ohne Zahl über mehrere Quadratkilometer hinweg, und wenn man dann mitten zwischen ihnen auf einem Felsbrocken steht und über das Gewoge ihrer Rücken hinwegschaut, ihre Felle wie hingetupft, bunt und farbenprächtig, schillernd im Glanz der Sonne, von hellen und dunklen Streifen durchbrochen, könnte man es für einen See halten, wüßte man nicht, es ist keiner. Schwärme zutraulicher Vögel fliegen herbei, wahre Stürme schwirrender Flügel, und, bestrahlt vom Sonnenlicht, leuchtet das Gewirbel aus Federn in allen Farben, die man sich nur vorstellen kann, genug, um überwältigt die Augen zu schließen.

Zusammen haben wir weite Wanderungen unternommen, und ich glaube, daß ich fast die ganze Welt gesehen habe. Und darum bin ich der erste und einzige Tourist. Unterwegs boten wir einen eindrucksvol-

strömt – jetzt stört mich das nicht mehr. Ich habe es immer wieder versucht, bis ich endlich herausfand, daß Wasser nie bergauf fließt – außer es ist stockfinstere Nacht. Ich weiß genau, daß es sich so verhält, denn der Teich trocknet nie aus, was nicht so wäre, wenn das Wasser nicht in der Nacht zu ihm zurückkehren würde. Wenn man sich Gewißheit verschaffen will, muß man dergleichen durch Versuche überprüfen. Wer sich mit Raten, Vermutungen und unbewiesenen Schlußfolgerungen zufriedengibt, der wird nie gescheit.

Manche Rätsel lassen sich nicht lösen, schon gar nicht durch Raten und Vermutungen. Nein, man muß sich in Geduld üben und solange probieren, bis man herausfindet, daß es nicht herauszufinden ist. Das finde ich wiederum ganz erfreulich, denn das macht die Welt ja so interessant. Sogar der Versuch, etwas herauszufinden, das sich nicht herausfinden läßt, ist genauso interessant, wie der Versuch, das herauszufinden, was man schließlich herausfindet, vielleicht sogar interessanter. Das Rätsel des Wassers war für mich ein verborgener Schatz, bis ich es löste. Dann war es nicht mehr spannend, und ich hatte das Gefühl eines Verlustes.

Durch Versuche weiß ich, daß Holz schwimmt, dürre Blätter und Federn ebenso, wie auch viele andere

Dinge. Also weiß ich, wenn ich alle diese Erkenntnisse zusammennehme, daß auch ein Stein schwimmt. Ich muß mich allerdings mit dem bloßen Wissen zufriedengeben, denn ich sehe bis heute keine Möglichkeit, es zu beweisen. Aber ich werde einen Weg finden und dann auch die erregende Neugier durch die Lösung dieses Rätsels verlieren. Diese Erkenntnisse stimmen mich traurig. Denn im Laufe der Zeit werde ich alle Rätsel gelöst haben und auf nichts mehr neugierig sein. Und dabei liebe ich diese forschende Neugier so. Kürzlich habe ich die ganze Nacht wachgelegen, weil ich über diese Fragen nachdenken mußte.

Anfangs verstand ich nicht, wozu ich eigentlich da sei. Jetzt glaube ich, dazu geschaffen zu sein, die Geheimnisse dieser wunderbaren Welt zu entdecken, darüber glücklich zu sein und dem Schöpfer zu danken, daß er das alles geschaffen hat. Ich glaube, daß ich noch vieles lernen muß, ich hoffe es jedenfalls. Wenn ich planmäßig und nicht überstürzt vorgehe, werde ich noch viele Wochen zu tun haben, hoffe ich jedenfalls. Wenn man eine Feder in die Luft wirft, schwebt sie davon und entschwindet dem Blick. Wirft man aber einen Lehmklumpen in die Höhe, segelt er nicht davon, sondern fällt jedesmal wieder herunter. Ich habe es wieder und wieder geprüft, stets das gleiche Ergebnis. Ich frage mich, warum das so ist. In

NACH DEM SÜNDENFALL

Auszug aus Evas Tagebuch

♦

Wenn ich zurückdenke, erscheint mir der Garten wie ein Traum. Es war dort schön, wunderbar schön, über alle Maßen schön. Das alles ist nun verloren, und ich werde ihn nie wiedersehen.

Der Garten ist uns verloren. Aber ich habe *ihn* gefunden, und ich bin zufrieden. Er liebt mich, wie er

nur kann. Und ich liebe ihn mit der ganzen Kraft meiner leidenschaftlichen Natur, was mir meiner Jugend und meinem Geschlecht nach durchaus angemessen erscheint. Frage ich mich, weshalb ich ihn liebe, so kann ich nur mit den Schultern zucken, denn ich weiß es nicht, und kümmere mich auch nicht darum, es herausfinden zu wollen. Diese Liebe entspringt wohl nicht irgendwelchen Überlegungen und Berechnungen, wie die Liebe zu anderen Reptilien oder sonstigen Tieren. Ich finde das so auch ganz in Ordnung. Manche Vögel liebe ich wegen ihres schönen Gesanges. Adam dagegen liebe ich nicht um seines Gesanges willen, nein, keinesfalls, denn je öfter er singt, desto weniger kann ich mich damit anfreunden. Trotzdem bitte ich ihn, zu singen, denn ich möchte es lernen, alles liebzugewinnen, was ihm Freude macht. Ich bin sicher, daß ich das auch erreichen werde, denn anfangs konnte ich seinen Gesang nicht aushalten, und jetzt geht's schon. Wenn er singt, wird die Milch sauer, aber mir macht's nichts aus – ich kann mich sogar an saure Milch gewöhnen.

Es ist auch nicht so, daß ich ihn wegen seiner Klugheit liebe, keineswegs. Ich kann ihm ja keinen Vorwurf daraus machen, daß sein Verstand so beschaffen ist, wie er ist. Er hat ihn ja nicht selbst verursacht. Er ist eben so, wie Gott ihn geschaffen hat, und das muß

genügen. Das hat er in weiser Voraussicht so gemacht, dessen bin ich mir sicher. Mit der Zeit wird
sich sein Verstand noch weiterentwickeln, aber das
wird langsam gehen, hat aber auch keine Eile. Er ist
mir recht so wie er ist.

Ich liebe ihn auch nicht um seines freundlichen
und rücksichtsvollen Wesens, seiner Feinfühligkeit
willen. Nein, in dieser Hinsicht hat er einige Mängel.
Aber er ist für mich gut genug – und er ist lernfähig.

Ich liebe ihn auch nicht um seines Fleisses willen,
nein, ganz bestimmt nicht. Ich glaube schon, daß Ehr-
geiz und Fleiß in ihm steckt, nur verstehe ich nicht,
warum er dies vor mir verbirgt. Das ist mein ganzer
Kummer. Er ist jetzt in jeder Hinsicht freimütig und
offen zu mir. Daß er außer in diesen Punkten keine
Geheimnisse vor mir hat, weiß ich ganz genau. Es tut
mir weh, daß er mir etwas verschweigt, und es raubt
mir manchmal den Schlaf, wenn ich darüber nach-
denke. Ich will nicht mehr darüber grübeln. Davon
will ich mir mein Glück nicht einschränken lassen,
das ich sonst im Überfluß empfinde.

Ich liebe ihn auch nicht um seiner Erfahrung willen, nein, aus diesem Grund auch nicht. Er hat sich
sein Wissen selbst erworben, und er kennt sich wirklich in vielen Dingen aus, aber in den meisten nicht.

Ich liebe ihn auch nicht um seiner Ritterlichkeit

willen, nein, auch darum nicht. Er hat mich ange-
raunzt, aber ich nehm's ihm nicht übel. Es ist wohl eine Eigenart seines Geschlechts, dafür kann er nichts.
Ich hätte ihn natürlich niemals ausgeschimpft, lieber
wäre ich gestorben. Aber ich bilde mir nichts darauf
ein, denn das ist eine Eigenschaft meines Geschlechts, und dafür kann ich ja auch nichts.

Also, weshalb liebe ich ihn überhaupt? Ich glaube,
einzig und allein deswegen, weil er ein Mann ist.

Im Grunde seines Herzens ist er gut und dafür liebe ich ihn auch, aber selbst wenn er es nicht wäre,
könnte ich ihn lieben. Ich würde nicht aufhören, ihn
zu lieben, selbst wenn er mir weh tun und mich be-
schimpfen würde. Da bin ich ganz sicher, und dies ist
wohl auch eine Eigenart meines Geschlechts.

Er ist stark und sieht gut aus, und auch deswegen
liebe ich ihn. Ich bewundere ihn und bin stolz auf ihn
und werde ihn auch lieben, wenn er diese Eigen-
schaften nicht hätte. Wenn er häßlich wäre, würde ich
ihn auch lieben. Wenn er krank und schwach wäre,
würde ich ihn lieben. Ich würde für ihn arbeiten,
mich für ihn abmühen, für ihn beten, bis zu seinem
Tode an seinem Bette wachen.

Und so liebe ich ihn wohl einfach nur deshalb, weil
er mein und ein Mann ist. Mir scheint, es gibt keinen
anderen Grund. Und ich glaube, daß es so ist, wie ich

zuvor schon sagte: Diese Art von Liebe entspringt nicht irgendwelchen Überlegungen und Berechnungen, sie überkommt einen, und niemand weiß, woher. Sie läßt sich nicht erklären und bedarf auch keiner Erklärung.

Jedenfalls ist das meine Überzeugung. Aber ich bin nur eine junge Frau und außerdem die erste, die über diese Fragen nachgedacht hat. Es könnte sich herausstellen, daß ich sie in meiner Unwissenheit und Unerfahrenheit nicht richtig begriffen habe.

VIERZIG JAHRE SPÄTER

Auszug aus Evas Tagebuch

♦

Es ist mein sehnlichster Wunsch, und ich bete darum, daß wir dereinst gemeinsam aus diesem Leben scheiden – eine Hoffnung, die nie von dieser Erde verschwinden wird, sondern bis ans Ende aller Zeiten im Herzen jeder liebenden Frau fortleben wird. Meinen Namen soll sie tragen.

Doch wenn einer von uns zuerst gehen muß, so bete ich darum, daß ich es bin. Denn er ist stark, ich bin schwach. Er bedarf meiner nicht so sehr, wie ich ihn brauche. Ein Leben ohne ihn, wäre kein Leben für mich – wie sollte ich das ertragen? Und auch diese Sehnsucht ist unvergänglich und wird nicht verstummen, solange mein Geschlecht auf Erden wandelt. Ich bin die erste Frau und noch in der letzten werde ich wiedergeboren.

♦

Inschrift auf Evas Grab

WO IMMER SIE WAR, DA WAR EDEN

Adam

BILDHINWEISE

Henri-Julien-Félix Rousseau, 1844–1910, gilt als bedeutender Vertreter der Naiven Malerei, der seine realistische Malweise ins Phantastische, manchmal ins Exotische überhöhte. Mit seinen sechsundzwanzig „Dschungelbildern", die er zwischen 1904 und 1910 malte, gelangte er zu Weltruhm.

S.   7 Der Kampf zwischen Tiger und Büffel, Ausschnitt, 1908.
S. 10 Das Mahl des Löwen, Ausschnitt, 1907.
S. 14 Der Traum der Yadwigha, Ausschnitt, 1910.
S. 17 Die Schlangenbeschwörerin, Ausschnitt, 1907.
S. 20 Pferd von einem Jaguar angefallen, Ausschnitt um 1910.
S. 27 Exotische Landschaft, Ausschnitt, 1910.
S. 33 Fröhliche Spaßmacher, 1906.
S. 36 Der Traum der Yadwigha, Ausschnitt, 1910.
S. 41 Der Traum der Yadwigha, Ausschnitt, 1910.
S. 48 Überrascht. Sturm im Dschungel mit einem Tiger, Ausschnitt, 1891.
S. 51 Die Flamingos, Ausschnitt, 1907.
S. 55 Exotische Früchte, 1908.
S. 59 Affen im Urwald, Ausschnitt um 1910.
S. 61 Urwaldlandschaft mit untergehender Sonne. Neger von einem Jaguar angefallen, Ausschnitt, 1909.
S. 66 Exotische Landschaft, Ausschnitt, 1908.
S. 69 Exotische Landschaft, Ausschnitt, 1910.
S. 73 Exotische Landschaft, Ausschnitt, 1910.
S. 76 Eva, 1905–1907.